작은 아름다움을
모아

박지선
https://brunch.co.kr/@areumdawoom
작은 아름다움들을 찾아가는 여정. 삶의 고통과 불행 속에서도 아름
다움을 함께 찾고 싶습니다.

발 행 | 2024-01-22
저 자 | 박지선
펴낸이 | 한건희
펴낸곳 | 주식회사 부크크
출판사등록 | 2014.07.15(제2014-16호)
주 소 | 서울 금천구 가산디지털1로 119, A동 305호
전 화 | 1670 - 8316
이메일 | info@bookk.co.kr

ISBN | 979-11-410-6778-6
본 책은 브런치 POD 출판물입니다.
https://brunch.co.kr

작은 아름다움을 모아

박지선 지음

b

CONTENT

종달새를 잊지 않는 마음

내가 음악과 미술에 기대는 이유

책은 글의 집

시는 현실이다

나의 이름을 새긴다는 것

노란 리본

분갈이를 하는 마음

까만봉다리를 들고 나오는 이의 모습

나의 첫 아름다움

나의 디테일

에어컨 리모컨 후에 남은 것들

아!

오늘, 여기

담담함을 그리다

그림 그리기를 다시 시작한 이유

내가 교사를 한다는 것

작은 아름다움들이 모여 시로 피어나면 아름답습니다.

오래 전 녹음한 앨범을 꺼내보며

나의 작은 숲

너 생일 파티 되게 재미없어

보물 찾기

나의 삶의 결을 생각한다

자기 언어를 갖는다는 것

네일샵에서 만난 이야기꾼

변주의 삶

아이들과 배운다는 것

붉은 마음

삶에 대한 새로운 사랑

오늘의 아름다움에 관하여

삶의 행간

손님에게 꽃을 건넬 때마다 어떤 기쁨이 샘솟는다. 이 꽃을 받는 순간부터 선물할 사람에게 건넬 그 순간까지 상상을 한다. 그럴 때면 나는 행복해지기도 하고 삶에 대한 아름다움을 느끼기도 한다.

 글을 조금 더 쓰고 책을 출간하고 싶었다.
그런데 꽃집을 열고 일을 하다 보니 지금 출간하는 게 낫겠다 싶었다. 삶이란 연속적이지만서도 텀이란 게 있는 것 같아보였다.

 꽃집에 매진할수록 이상하게 내가 지금까지 써온 글들이 더 많이 생각났다. 교사였을 때를 그리워하거나 지금 삶이 고달파서라기보다는 자유롭게 글을 쓰던 때가 생각나서인 것 같다. 글을 쓴다는 것은 행복한 일이다.

 내가 꾸었던 꿈 중 하나를 이루려고 한다.
이때를 간절히 기다려왔다.
글 하나를 쓸 때마다 책을 낸다는 마음으로 진실되게 쓴 것 같다.

이 글을 읽는 모두가 각자의 삶에서 아름다움을 찾아가는 여정에 참여했으면 좋겠다. 우리 삶에는 아름다움이 있다. 없는 것 같아보여도 누구에게나 있는 것이다.

종달새를 잊지 않는 마음

2022 세월호 참사 8주기 기억하기

종달새가 천 개의 바람 속에서 반짝이며 우는 아침입니다. 오늘 아침 저를 깨우고는 바람 속으로 금방이라도 자유롭게 날아갈 것 같았는데 아직도 저희 집 앞에서 둥글게 울고 있습니다. 아직 깨워야 할 이들이 있나봅니다.

30분 넘게 예쁘게 지저귀던 새가 자동차 경적소리에 날아갔습니다. 도로 위에서 무슨 일이 일어난 건지는 모르겠습니다. 한동안 종달새의 울음소리가 들리지 않아 울었습니다. 자동차의 경적소리로부터 지켜주지 못한 것 같아 많이 미안했습니다. 더 이상 종달새의 울음소리가 들리지 않습니다.

기억에 대해 생각합니다. 기억은 간직하거나 도로 생각해내는 것입니다. 저는 무엇을 간직하고 무엇을 도로 생각해내며 살아가야 하는 것일까요?

고2의 한 친구가 제게 세월호 추모와 교과를 연계하는 수업을 제안하며 이야기했습니다. "기억의 힘은 가장 강력하니까요 선생님!" 오늘은 4월 16일이라고 정답게 이야기해 주다가도 자동차 경적소리에 위축되어 더 이상 울지 못하는 종달새를 기억합니다. 종달새의 마음,

종달새가 되었을 수도 있는 그들의 마음을 간직하고 도로 생각해내며 살아갑니다.

저희 집에는 풍경이 있습니다. 종달새는 더 이상 울지 않지만 풍경이 반짝이며 노래하고 있습니다. 천 개의 바람이 되어 자유롭게 날고 있습니다. 연약하지만 강합니다. 무너진 종달새가 풍경을 흔드는 단단한 바람이 되었습니다. 무너진 마음이 모여 그 다음을 향해 나아가는 2022년 4월 16일입니다.

내가 음악과 미술에 기대는 이유

대관령 음악제 - 곽윤찬 트리오

1.

친구와 메모에 대한 이야기를 했다. 친구는 생각 나는 곧바로 라면, 양파, 계좌번호와 같은 무작위의 단어들과 문장들을 적는다면, 나는 완벽한 문장과 글이 써지기 전까지는 절대 한 글자도 쓰지 못했다. 그런데 오늘은 '대충' 써보고 싶다는 생각이 들었다. 아마 친구가 메모해 놓은 단어들과 문장들을 기다려 주다 보면 시간이 지나고 연결이 되기도 한다는 마법 주문과도 같은 말을 들어서 그런 것 같다. 나에게도 마법과 같은 일이 일어나지는 않을까.

그런데 공연 중에는 핸드폰으로 메모를 할 수가 없어서 나의 마법은 좌절됐다. 그런데 갑자기 공연장 앞에서 설문지와 펜을 나누어 주었다. 심지어 펜은 가지라고 했다. 적어야겠다고 마음 먹었다. 마법이 일어날 것 같은 느낌이 들었다.

2.
오늘 갔던 공연장은 대체로 클래식 연주를 위한 곳이었다. 그런 곳에 재즈를 들으러 오는 사람들의 마음은 어떠할까. 그리고 그런 곳에서 재즈 연주자들은 왜 공연을 할까. 재즈는 울림이 크면 방해받아서 듣는 이들도 연주하는 이들도 큰 연주홀은 별로 좋아하지 않는다.

왜 클래식 공연장으로, 강원도 산골짜기로 재즈를 들으러 왔을까.

그리고 이것을 기획한 사람들은 처음 이 공연을 기획할 때 어떤 무너짐을 만났을까. 설문지의 '프로그램 만족도' 항목을 보며 생각한다. 나는 주저없이 '매우 만족'에 체크했다. 그 첫 무너짐이 설문지 결과로 인해서 '것 봐 누가 클래식 공연장에서 재즈를 하냐고.' 따위의 말을 듣지 않았으면 좋겠다. 단 하나의 '매우 만족'으로 그 기획자의 무너진 마음이 진보로 나아갔으면 좋겠다. 예술을 찾아 떠나온 사람들, 클래식 공연장에서 재즈 연주를 기획한 사람들 모두 삶을 아름답게 만들 줄 아는 사람들이다.

3.
재즈에서의 드럼은 붓 같다. 특히 오늘 연주한 드러머는 더 멋진 붓을 든 화가 같았다. 이렇게도 잡아보고, 저렇게도 눕혀보고, 물감을 많이 묻혀보기도 하고, 물을 많이 섞어보기도 하고, 다른 색을 섞어보기도 하고, 붓도 종종 바꿔보기도 한다. 그림을 그리듯 연주를 했다.
그림을 그리는 연주가다.

4.
좋은 커뮤니케이터는 상대의 말을 받아 적절히 인용해
서 정확하게 해석해 주는 사람이다.

좋은 연주자도 마찬가지다. 메인 악기가 어떤 멜로디를 연주하면 좋은 연주자, 가령 베이시스트는 다음 박자나 다음 마디에 그 멜로디를 받아 똑같이 연주한다. 드러머도 마찬가지다.

더 좋은 연주자는 그 멜로디에 살을 붙인다. 이야기를 만들어 간다. 그 멜로디를 받아서 그 멜로디가 얼마나 좋은 이야기인지를 최소 8마디 이상을 들여 아름다운 곡조로 설명해 준다.

좋은 커뮤니케이터도 그렇다. 상대의 이야기를 받고, 적절히 인용하되 얼마나 중요하고 좋은 이야기인지 해석해 주는 것. 그래서 어떤 파트너, 해석자를 만나는지가 중요하다.

5.
Behind라는 곡을 들으며 적는다.

베이시스트가 악기에 몸을 기대어 연주한다. 그 모습이 부럽다. 자신이 하고 싶은 이야기를 악기에 기대어 한다는 것은 멋지고 아름다운 일이다. 나는 어느 것에도 기대지 못한 채 내 이야기를 해와서 그동안 그렇게 아팠나보다.

글과 말은 아프다. 기댈 수 없다. 그 자체이기 때문이
다. 내가 왜 음악과 미술을 사랑하는지 알겠다.

나는 기댈 곳이 필요하다.

책은 글의 집

대관령 선인장 책방을 다녀와서

나는 어떤 지역을 가더라도 그곳의 책방을 꼭 방문한다.

책방에 간다는 것은 책을 보러 간다는 것도 있지만, '책은 글의 집'이라고 말한 누군가의 말처럼 그런 집들이 모인 곳은 어떨지 궁금하기 때문이다.

각자의 집은 저마다 다 다르다.

살아온 행적, 좋아하는 것, 싫어하는 것, 집에 들여놓고 싶은 것, 숨기고 싶은 것 등 집 안에 있는 것은 모두 다다르다.

책도 마찬가지다.

글쓴이가 다루고 싶은 지식, 정보, 이야기들이 모두 다 다르다. 작가의 삶, 취향, 마음, 깊이, 삶의 결이 다 다르기 때문이다.

그런 책이 모여 있는 서점은 또 하나의 작은 세계이다. 마을이라고도 할 수 있겠다.

마을에 가보면 지역의 특성이 드러나기도 하고 드러나지 않기도 한다.

나는 드러나는 것을 좋아하는데,

가령 서점 주인의 친절한 큐레이팅이 드러나면 더더욱 좋아한다.

이런 큐레이팅에서는 좋은 책이 나올 수밖에 없다.

선인장 책방이 그런 것 같다.

책방은 선선하면서도 연약하지 않은 바람이 부는 언덕 위에 자리 잡고 있다.

바람의 문을 열고 들어가면 정원을 담은 책들이 가득하다.

그리고 정원을 담은 그림책들이 가득하다.

주저없이 큐레이팅 된 것 같은 산뜻한 책들을 한아름 골랐다.

왜 이렇게 많이 사냐고 물으신다.

입으로 대답하지 못 했지만,
내 마음은 대답했다.
'사장님의 다정함과 정성, 그리고 꿈이 담겨 있으니까
요.'
나는 그 꿈을 돈으로 살 수 없는데도 돈이라는 것을 주
고 너무나 쉽게 내 마음으로 가져온 것이다.

그리고 그 꿈은 나의 꿈이 되기도 한다.
선인장 책방에서 산 책들에 대해서 더 써보고 싶다.

하고 싶은 이야기들이 많다.

자신의 꿈을 책에 담아,
그 책의 꿈이 전해져
누군가에게 또 꿈으로 전해지는 일은
아름다운 일이다.

삶의 예술가를 평창, 바람의 언덕에서 만났다.

시는 현실이다

불안을 다루었던 친구와의
특별 수업을 마치고

"아무 날도 아닌데 아무 이유 없이 친구에게 꽃을 보낸다.

- 데인 셔우드, '죽기 전에 꼭 해볼 일들' 중에서"

"소중한 친구 덕분에 시는 현실이자 실체 있는 희망이
라는 것을
몸에 새길 수 있게 된 날을 기념하며 지선 드림_"

노ㅇ에게 적어 준 꽃에 달린 말.
시가 현실이라는 것을 알게 된 날.

이 날을 위해 그 오랜 세월 동안 고통스러웠나보다.
삶은 예술이다.

나의 이름을 새긴다는 것

서울시립미술관 '시적 소장품'에 다녀와서

우리는 저마다의 구슬을 가지고 있다.
이 구슬은 존재의 일부
혹은 자신이라는 세계를 이루는 무언가
또는 자신의 이야기라고 할 수 있겠다.
이 구슬을 가지고 무엇을 할지는 자기 자신에게 달려
있는 일이다.
팔찌나 목걸이와 같은 장신구를 만들 수도 있고, 옷이
나 가방에 달 수도 있다.

얼마 전 담수 진주 목걸이를 사기 위해 한 가게를 갔다. 그 가게는 목걸이를 파는 곳은 아니었으나 이전에 목걸이를 봤던 기억이 떠올라 다시 찾아갔다. 사람들은 가게의 의도에 맞게 탐스러운 접시와 컵, 소품들을 만지작거렸다.

나는 울퉁불퉁한 작은 진주로 꿰인 구석에 있는 목걸이가 마음에 들었다. 너무 촘촘하지도 않게 적당한 간격으로 꿰어져 있었고 내 목에도 알맞게 어울릴 것 같았다.

그 목걸이를 계산대에 내밀었고, 직원은 그 목걸이를 향해 낯선 눈빛을 보냈다. 무언가를 중얼거렸다. 그리고 내게 이 물건은 새 상품이 없다며 그래도 괜찮냐고 물어본다. 그리고 목걸이에 이상이 없는지 확인해 보라고 했다.

목걸이를 보는데 사람들의 손을 탄 흔적이 보였다. 특히 목걸이의 끝에 아슬아슬하게 매달린 후크같은 것이 보였다. 반대편의 끝과 연결해 주는 고리였다. 당장 목걸이를 하는 데 문제는 없겠으나 목걸이를 잘못 뺐다간 금방이라도 끊어질 것 같았다. 그런데 나는 그 목걸이를 샀다. 너무 불쌍해서. 나 같아서. 직원이 재차 물었다. 정말 괜찮겠냐고.

신경희 작가의 '퀼트' 작품 설명에 다음의 문장이 있었
다.

'이미지들은 작가 개인에서 비롯된 것이겠지만 관객이
마주하는 것은 해독하기 어려운 기호와 같은 것이다.'

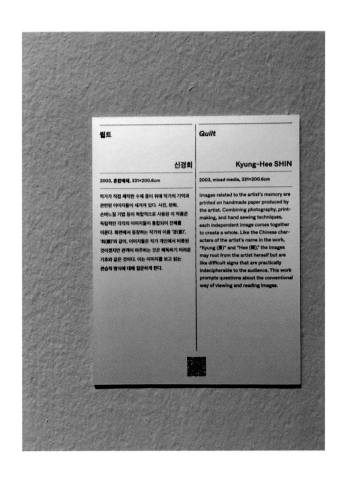

퀼트

신경희

2003, 혼합매체, 331×200.6cm

작가가 직접 제작한 수제 종이 위에 작가의 기억과
관련된 이미지들이 새겨져 있다. 사진, 판화,
손바느질 기법 등이 복합적으로 사용된 이 작품은
독립적인 각각의 이미지들이 통합되어 전체를
이룬다. 화면에서 등장하는 작가의 이름 '경(景)',
'희(姬)'와 같이, 이미지들은 작가 개인에서 비롯된
것이겠지만 관객이 마주하는 것은 해독하기 어려운
기호와 같은 것이다. 이는 이미지를 보고 읽는
관습적 방식에 대해 질문하게 한다.

Quilt

Kyung-Hee SHIN

2003, mixed media, 331×200.6cm

Images related to the artist's memory are
printed on handmade paper produced by
the artist. Combining photography, print-
making, and hand sewing techniques,
each independent image comes together
to create a whole. Like the Chinese char-
acters of the artist's name in the work,
"Kyung (景)" and "Hee (姬)," the images
may root from the artist herself but are
like difficult signs that are practically
indecipherable to the audience. This work
prompts questions about the conventional
way of viewing and reading images.

이 문장을 보고 눈물을 참을 수 없었다.

그녀의 작품 '퀼트'를 보면 의미를 쉽게 알기 어려운 사물들이 그녀가 직접 만든 종이 위에 올려져 있다. 아마 그 사물들은 그녀에게 있어 그녀를 이루는 존재의 일부 혹은 자신이라는 세계를 이루는 일부 또는 자신의 이야기일 것이다. 아주 금방이라도 끊어질 것 같은 지금은 내 목에 걸린 목걸이의 고리일 것이다.

사물들을 왜 그렸는지, 어떤 의미인지 알 수 없다. (2017년 세상을 떠나셔서 그 가능성은 더 희박하다.) 누군가는 이상하다고 할지도 모르겠다. 그런데 꿋꿋이 처음부터 종이를 직접 만들고 종이 위에 사물을 얹고 그 종이들을 한땀한땀 꿰어 자신을 이루었다. 내가 낯선 눈빛에도 꿋꿋이 금방이라도 끊어질 것 같은 진주 목걸이를 사서 내 목에 나의 일부러 가져온 것처럼.

그렇다면 이 그림은 왜 아름다운 예술 작품일까.
내가 그 앞에서 울었기 때문이다.
나라는 하나의 작은 세계에 어떤 동요를 일으켰기 때문
이다.

노란 리본

희망에 관하여

겨울의 맑은 볕을 쬐며 한 아이와 걸었다.
우리가 겪는 여러 가지 일들의 고통스러움에 대해 이야기했다.
왜 우리는 똑같은 일을 해도 다른 사람보다 더 고통스러워하고 항상 아쉬운 지점을 포착하는 것일까.
나는 교육의 장에서, 그 아이는 영상의 장에서.

이야기를 마친 후 지금 드는 생각이 무엇인지 물었다.

"추운 겨울, 세월호 추모 행사를 하다가 차가운 시선들을 마주한 후, 집으로 돌아가는 길 우연히 마주친 노란 리본을 볼 때의 기분이에요."

"이것을 잘 기록하자. 나도 기록할게."

살면서 언제 만날지도, 얼마나 만날지도 모르는 노란 리본을 기다리며 나와 그 아이는 살고 있다.

그리고 이것을 희망이라고 부른다.

분갈이를 하는 마음

분갈이

최근 들어 화분을 다섯 개나 샀다.
모두 분갈이를 하기 위해서였다.
새로 함께 살게 된 친구들도 있었고, 옷이 작아 새 옷을
입혀줘야 하는 친구들도 있었다.

집 앞에 화원이 있다.
흰 치자꽃이 예뻐서 치자와 잘 어울리는 화분까지 함
께 샀다. 사장님께서 분갈이를 해줄 테니 잠시만 기다
리라고 하셨다.

"어.. 분갈이 저희가 집에 가져가서 해도 될까요?"
"재료 다 있으시면 그러세요."
"네."
"그런데 불편하신데 왜 집에 가져가서 하세요? 그냥 여
기서 편하게 하세요."
"제가 직접 하는 게 즐거워서요."
"아..."

혹시 마사토 조금만 더 챙겨주실 수 있냐고 여쭸지만
못 들으신 건지, 아니면 집에서 분갈이를 하겠다는 것
이 본인의 무언가를 무시한다는 메시지로 들리셔서 그
랬는지 인사를 받지 못하고 나왔다.

어제 비슷한 일이 다른 화원에서도 있었다. 여기서 편
하게 다 해주는데 왜 집에 가서 하냐고 물으셔서 난 지
난 번과 같은 대답을 했다. 다른 화원이었지만 반응은
똑같았다.

분갈이를 직접 내 손으로 하는 마음에 대해 생각한다. 화분에 옮겨담기 전 장갑과 삽을 준비하고 흙과 돌을 화분으로 넣을 때 다른 작업 때는 느낄 수 없는 어떤 두 근거림이 있다. 나와 함께 할 식물에 대한 최소한의 예의라고 생각한다. 내 숨결을 불어넣어주는 작업이다.

그리고 식물(나무나 꽃이나)을 준비된 화분 속에 넣어 주고 흙으로 잘 덮어준다. 이때 삽으로 정교하게 빈 곳에 흙을 넣는데 그 흙 냄새가 집안 가득히 퍼진다. 나는 식물 바로 앞에 있기도 해서 그 풀잎의 향도 기억한다. 흙이 뜨지 않도록 혹은 물이 잘 빠져나가도록 마사토로 맨 위를 덮어준다. 마지막으로 큰 돌을 맨 위에 올려 주어 흙이 더 뜨지 않도록 해준다.

치자꽃의 향기가 더 가득히 퍼진다. 나에게 고맙다고 인사하는 것 같다. 그 이후로 치자는 꽃을 네 송이나 더 피웠다. 그 다음으로 간 화원에서 데려온 장미는 하루 만에 두 송이나 피었다. 나도 꽃들에게 고맙다고 인사를 전했다. 분갈이를 하는 나의 마음으로. 사랑하는 마음이다.

까만봉다리를 들고 나오는 이의 모습

선물과 환대

사람들이 행사 같은 곳을 다녀오면 손에 꼭 무언가를 쥐고 들어오는 풍경을 본다.
교회에 가면 물티슈나 먹을 것, 말씀 구절이 적힌 액자를 들고 나오고,
모델하우스에 가면 티슈를 들고 나오고,
학원에 가면 파일철을 들고 나오고,
재작년의 경우, 코로나 검사를 받으면 마스크를 들고 나왔다.

오늘 아침 출근 길, 마스크를 꺼내려 드는데 문득 아주 어릴 적부터 서글펐던 아빠의 모습을 생각한다. 특히 재작년에 아빠가 밀접 접촉자가 되어 코로나 검사를 갑자기 받은 날이 떠올랐다.
그 당시만 해도 밀접 접촉자라는 것은 어마무시한 일이어서 코로나 검사를 받으러 간다는 것은 우리 가족 모두에게 긴장되는 일이었다.
아빠는 검사를 받으러 나갔었고, 그 날은 마침 둘째 고양이의 중성화 수술을 받는 날이어서 보건소 근처의 동물병원으로 향했다.
동물병원으로 가던 중 아빠가 까만 비밀봉다리를 들고 터덜터덜 걸어가는 모습을 차 안의 창문으로 보았다.
그 까만 비밀봉다리 안에는 얼핏 보기에 마스크 두어 개가 담겨 있었다. 보건소에서 집까지 30분은 족히 걸리는 거리였다. 아빠의 허탈하고도 불안해하는 눈빛, 아무 의미 없이 봉다리에 담겨 있는 듯한 마스크가 불쌍해 보였다. 정확히는 그걸 들고 있는 아빠가 불쌍해 보였다.

아빠는 그곳에 가서 환대를 받았을까.
걱정하지 말라고 괜찮을 거라는 이야기를 들었을까.

밀접접촉자여도 확진이 되지 않는 경우도 있다는 이야기를 들었을까.
마스크를 검은봉다리 안에 넣어줄 때 친절하게 넣어줬을까.
아빠는 친절함과 따뜻함을 봉다리 안에 가득 넣어 집으로 걸어가는 것일까.

선물과 환대에 대해 생각한다.

내가 일하는 학교의 아이들은 어떤 것을 주어도 기쁘고 감사하게 받을 줄 아는 아이들이다.
물건 자체가 좋을 때도 있겠지만 아이들은 '선생님이 우리를 이렇게까지 생각해 주셨어'라는 데 정확한 마음을 느낀 것 같다.

3월 초, 학년 자치 시간에 고3 아이들이 모두 모였다.
이 아이들이 개학하자마자 학교에 오고 집으로 돌아갈 때 우리 아빠와 같은 마음으로 돌아가질 않길 원했다.
검은 봉다리에 차가운 마스크 두어 장이 담긴 채로 터덜터덜 집에 돌아가지 않았으면 좋겠는 마음이었다.

그래서 아이들을 환대하는 마음으로
아이들 이름이 담긴 시 구절과 펜을 준비하고,
선생님들과 하나하나 정성스럽게 포장하고,
당일 날 아이들에게 하나씩 선물해 주었다.

아이들은 이 펜을 품에 끌어안았다.
두 손 가득 감사하다며 받았다.
몇 아이들은 그 포장을 아예 뜯지도 않고 있다.
오랫동안 간직하고 싶어서란다.

같은 봉다리에(물론 아이들에게 검은 봉다리를 주지
는 않았다.) 무엇을 담아야 할까.
작은 휴지를 주더라도 그 안에 환대와 사랑의 마음을
담아주고 싶다.
그래야 돌아갈 때 초라한 것이 우리 아빠인지 검은 봉
다리인지 헷갈리지 않는다.

아이들에게 주었던 시 구절은

ㅇㅇ에게_
내가 너의 목소리에
목소리를 덧댈게
너를 절대
혼잣말로 두지는 않을게.

박상수,
'들어줄게 너의 이야기를' 중에서

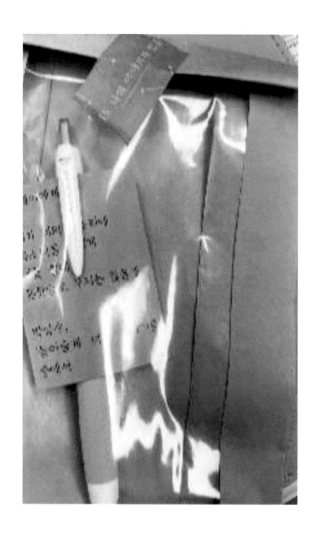

집으로 돌아갈 때 초라한 비닐 봉지를 들고 혼잣말을
하며 돌아가는 이들이 없는 세상을 꿈꾼다.
그들에게 나의 목소리를 덧대어 주고 싶다.

우리의 목소리가 비닐 봉지의 바스락거리는 초라하고
도 날카로운 소리를 포근하게 덮어주길 꿈꾼다.

나의 첫 아름다움

아름다움을 알게 된 첫 날

2016년 3월, 고2 아이들을 만났습니다. 봄을 맞아 우리는 봄의 시를 찾고, 봄을 가장 잘 느낄 수 있는 벚꽃의 운동장에서 함께 시를 읽었습니다. 각자의 시를 읽으며 떠오르는 마음을 사진으로도 표현해 보고 그림으로도 표현 해 보고 노래로 표현해 보기도 했습니다. 그때 아이들에게 '함축'이라는 단어를 소개해 주며, '함'에 쓰인 한자의 뜻 중 '머금다'라는 뜻이 있다고 알려주었습니다. 시인들은 단어와 문장 속에 무엇을 머금고 있을까? 그리고 너희들의 마음에는 무엇을 머금고 있니? 라고 물었습니다. 한 아이는 사랑을 머금고 있다고 했고, 한 아이는 꿈을 머금고 있다고도 했습니다. 그러자 장난기 많은 한 아이는 "선생님, 호진이는 입에 간식을 머금고 있어요."라고 말해 학교 운동장은 벚꽃과 웃음으로 가득찼습니다.

"거기 지금 누구야! 뭐 하는 거야 지금!" 누가 저에게 삿대질을 하며 고함을 쳤습니다. 당시 학교의 교감 선생님이 학교 본관 현관에서부터 달려오고 있었습니다. 그는 저에게 반말로 또 다시 말했습니다. "지금 뭐하는 거지?" 어떤 수업을 하는 중이었는지 설명했지만, 이미 제가 야외에서 수업을 하는 것에 화가 많이 나 있었기 때문에 아이들과 달리 그는 제 이야기를 머금을 수 없었습니다. 학교는 동네 놀이터가 아니라 직장이다, 모의고사 1등급 받는 아이들에게 무슨 짓이냐, 이 수많은 아파트에서 학부모들이 우리 학교를 주목하고 있는데 야외수업을 하는 것이 알려지면 우리 학교의 위상이 떨어진다, 민원을 당신이 감당할 거냐와 같은 이야기를 몇 분 정도 들었습니다. 그가 아이들에게 당장 교실로 들어가서 자습하라고 했습니다. 그리고 저는 교장실로 불려가서 교사들에게 둘러싸인 채로 또 혼이 났습니다. 그가 저에게 한 언행은 저에 대한 모욕이라기보다는 아이들과 함께 마음 속에 머금은 것을 해치는 일이었습니다.

혼 나는 시간이 끝나고 복도를 지나 운동장 한 구석으로 가려는데 아이들이 저를 기다리고 있었습니다. 화를 내는 아이들도 있었고 우는 아이들도 있었습니다.

그런데 한 아이가 수줍게 나와서 저에게 나무에서 떨어진 작은 벚꽃 가지를 귀에 꽂아주었습니다. 그리고 옆에 있던 아이가 저에게 말했습니다.

"선생님, 아름다우세요." 옆에 있던 또 다른 아이가 이야기했습니다. "선생님, 아름다워요." 또 다른 아이가 이야기했습니다. 웅성웅성 아이들이 이야기했습니다. "맞아요, 선생님, 아름다워요. 오 늘을 잊지 못할 거예요."

제가 아름답다기보다 그 날이 아름다웠던 것 같습니다.

아름답다는 말을 처음으로 들어본 날이었습니다. 아름다움이 무엇인지 알게 된 첫날이기도 했습니다.

나의 디테일

keith jarrett의 Shenandoah를 치며

다음을 아이들에게 읽어준 후
아이들에게 Keith jarrett의 Shenandoah를 직접 들려주었
다.

북두칠성은 별들이 흩어져 있는 것인데 거기서 우리 마
음은 '국자'를 보게 하지요.
우리의 지식은 편집된 것이고, 잘려나간 것들은 망각돼
요.
예술가가 하는 일이란 잊혀진 것들을 다시 불러오는 거
예요.

새로운 걸 본다는 건 새롭게 편집하는 것이고, 접혀 있던 것들을 펼치는 것 외에 다른 발견은 없어요.
-이성복, 「불화하는 말들」 중에서

흩어져 있는 나의 마음들이 있었다. 제자리를 찾지 못하고 있는 마음들이. 질문에 대한 대답을 늘 찾으려고 했다. 정해진 대답이 있다고 생각했다. 나에게 맞는 정해진 대답이.

'난 음악도 좋아하고 책도 좋아하고 학교도 좋아하는데 이걸 다 같이 할 수는 없는 건가?'
이 물음에 사람들은 이렇게 답했다.
'음악 교사 하면 되겠네.'
'지금 그런 걸 생각할 때는 아닌 것 같아. 그럴 시간에 작품 하나라도 더 읽어.'

나는 음악 교사를 하고 싶은 것이 아니었다. 음악도 하고 싶고 학교에서 아이들과 책도 같이 읽고 싶었다. 꼭 한 장면에서 이 모든 것이 다 이루어져야 하는 것은 아니지만 내 마음은 그것을 강력하게 원하고 있었다.

재즈는 고유한 멜로디에 살을 붙여가는 음악이다. 음악의 맨 처음, 주제 선율을 다 같이 연주한 후, 밴드의 각 악기가 주제 선율을 그들이 정한 주제 안에서 자유롭게 해석하며 연주를 한다. 밴드가 아닌 솔로 연주일 경우, 주제 선율을 연주한 후에 그 선율을 반복하면서 살을 붙여며 연주를 한다. 재즈는 원래 정해진 악보가 없는데, 여러 사람들의 손을 거쳐 같은 음악이 연주 되길 원하면 이렇게 좋은 악보로 만들어지기도 한다.

키스 자렛이 편곡한 'Shenandoah'의 주제 선율은 총 다섯 번이 나온다. 나는 그 다섯 번의 연주에서 무엇을 할 수 있을까 고민했다. 음악도 하고 싶고 학교에서 아이들과 책도 같이 읽고 싶은 나의 이 무너졌던 질문을 어떻게 다시 담아낼 수 있을지를 생각한다. 그리고 다섯 번이나 되묻는 음표들의 질문을 가지고 무엇을 할 수 있을지를 생각한다.

'Shenandoah'에서 다섯 번째로 묻는 질문 직전에 그 질문으로 다가가는 부분이 있다. 내가 가장 좋아하는 부분이자 사랑하는 표현이다. 가장 밑의 음이 상행을 하기 때문에 빨라지거나 급해지기 쉬운 부분이다. 나는 일부러 더 느리게 연주한다. 묵직한 저음처럼 내 삶을 묵직하게 받쳐주는 나의 경험, 나의 생각, 나의 마음, 나의 존재. 느리게 친다는 것은 나를 이루는 것들을 하나하나 품어주고 안아주고 읽어주느라 느리게 가는 것이다.

나는 질문으로 살아가는 사람이라고, 괜찮다고, 잘려나갔거나 접혀 있던 나의 조각들을 '국자' 모양으로 펼쳐보며 내 자신에게 속삭인다.

에어컨 리모컨 후에
남은 것들

수업을 하기에는 우리는 너무 더운 교실에 있었다.
너무 덥지 않냐고 묻자 한 아이가 에어컨 리모컨을 가지러 다른 교무실에 다녀오겠다고 한다.
미안한 마음이 들었는데 아이가 벌떡 일어났다.
그럼 가져다 줄 수 있냐고 물었다.

우리는 다른 이야기를 하며 그 아이를 기다렸고 아이는 먼 거리를 금방 다녀왔다. 뛰어갔다 온 것 같아 보였다.
그런데 알고 보니 리모컨이 교실에 있었다.
그리고 심지어 그 아이가 가져온 리모컨은 말을 듣지 않는 리모컨이었다.

그런데 아이들은 비웃지 않았다.
나도 웃지 않았다.
그 아이가 얼마나 노력했는지, 어떤 마음을 냈는지 알기 때문이다.

이 순간 아이들에게 어떤 말을 해야 할지 생각했다.

"리모컨은 교실에 있었고, 심지어 가져온 리모컨은 말을 듣지 않았을 때 우리에게 남은 건 아무것도 없는 걸까요? ㅇㅇ이가 한 것은 아무 의미가 없는 일이 될까요?
저는 그렇게 생각하지 않아요.
오히려 아무것도 없는 것처럼 보여서 ㅇㅇ이의 마음이 더 잘 보여요. ㅇㅇ이가 우리를 얼마나 생각해 주는지

그 마음이 잘 보여요. 우리 그런 마음을 볼 줄 아는 사람
이 되었으면 좋겠어요."

아!

문우당에서 만난 책의 시간을 아는 아이

내가 살고 있는 곳의 한 책방이 중앙 매대를 어린이 도서로 배치했다고 한다. 서점에서 어린이 도서는 대체로 왜 입구가 아닌 구석 쪽에 있어야 했는지 서운했던 나로서는 아주 반가운 일이었다. 어린이 날을 맞이해서 그런 건지는 모르겠지만 기쁜 일이다.

어린이는 책에서 많은 영감과 배움을 얻을 나이이기도 하지만 상처를 받기도 아주 쉬운 나이이다. '주식 투자', '트랜드', '재산', '부동산과 같은 어마무시한 단어들이 반겨주는(?) 서점 입구에서 아이들은 얼마나 위축되었을까. 그리고 기억 속을 더듬어 찾아가거나 '어린이 코너'의 팻말을 따라 그곳에 겨우 도착해 보면 비닐에 단단히 갇혀 있는 책들을 마주했을 것이다.

이번 겨울에 갔던 속초의 문우당이라는 한 서점이 떠오른다. 나는 그곳에서 많은 것들을 담고 품고 왔다. 문우당의 입구는 어마무시한 단어들의 책이 아닌 그림책들로 가득하다. 오른쪽을 봐도 그림책, 왼쪽을 봐도 그림책이다. 어린이가 아니더라도 책을 어려워하는 사람들이 그곳에 들어간다면 환영받는 기분이 들 것 같다는 생각이 들었다. 조금 더 많이 과장해 보자면 무엇이든 할 수 있을 것 같은 느낌도 들었다.

책을 고르고 있는데 한 아이가 내 앞을 지나가려다가 '아!' 하고는 나의 뒤쪽으로 지나갔습니다. 나는 그 아이를 향해 눈으로 '고마워. 넌 참 착한 아이구나.' 하고 웃어주었다. 그 아이는 수줍어 하며 재빠르게 다른 곳으로 갔지만 그 아이의 입과 눈가에 남아 있던 미소는 계절이 바뀐 지금도 잊히지 않는다.

어른들도 이렇게까지 누군가의 시간을 존중해 주기는 쉽지 않다. 전시회만 가더라도 그림의 시간 앞을 가로지르는 사람들을 수없이 봤다. 책의 시간은 말할 것도 없다. 잘못되었다기보다는 그 아이처럼 하기는 정말 쉽지 않은 일이다.

착하고 섬세한 한 아이 덕분에 모든 책들이 더 사랑스럽고 소중해졌다. 그 아이는 '책의 시간'을 아는 아이이겠지? 그 아이의 보호자께서 '애야, 누군가가 책을 고르고 있을 때 그 앞을 지나가기보다 그 뒤로 지나가는 게 좋을 것 같아. 우리가 뒤로 지나간다면 아마 그 사람은 굉장한 책을 발견할 수 있을지도 몰라.'라고 친절하게 알려주었다 하더라도, 그 아이는 '책의 시간'을 알고 있는 아이일 것이라고 생각한다. 혹은 자신도 존중받아봤다거나.

어디에서 존중을 받아보았을까. 문우당의 그림책이 가득한 입구에서부터 존중을 받은 것은 아닐지 떠올려 본다.

오늘, 여기

오늘은 오늘이다. 과거도 미래도 아닌 오늘. 2022년 ○
○고 3학년 0반이 우리집과 내가 일했던 카페에 모인
오늘이다.

어제 나는 학교 일을 마치고 막차를 타고 춘천을 갔다.
금요일날 타는 버스와 같은 버스여서 두 번의 금요일
을 겪는 것 같았지만 어제는 달랐다.

내가 집에 가 있으면 아이들이 온다.

아이들에게 보여줄 꽃을 고르고 설거지를 하고 청소를 한다. 사장님께도 미리 연락을 드려놓는다.

아이들이 집에 오기 전, 내가 제일 좋아하는 향수를 뿌리고 제일 좋아하는 디퓨저의 향이 잘 나는지 점검한다. 누군가는 향에 민감하거나 혹시 그 향이 제일 좋아지거나 기분이 좋아질 수도 있으니까.

내가 그린 그림들을 다시 배치하며 점검한다. 누군가는 그림의 시간에 살고 있거나 기분이 좋아질 수도 있으니까.

내가 좋아하는 꽃도 다시 배치해 본다. 누군가는 내가 자신들을 생각하며 고른 꽃을 보고 기분이 좋아질 수도 있으니까.

아이들이 좋아할 만한 메뉴도 골라본다. 누군가는 청년피자, 삼첩분식, 내가 만든 파스타와 꼬막비빔밥, 야채만두를 좋아할 수도 있고, 비건인 친구들도 눈치 안 보고 먹을 수 있는 넉넉한 양이니까.

나의 눈물과 웃음이 가장 많은 이 곳,
내가 일했던 카페에 오늘 아이들이 왔다. 내가 가장 사
랑하는 사람들이 왔다.

배달 주문 실수가 있었나 보다. 내가 일했을 때처럼 처
음 보는 직원 분이 혼나고 계신다. 나는 사장님 옆에서
봄바람과 함께 사과문을 대필해드렸다.(아, 혹시나 해
서. 사장님 눈이 안 좋으셔서 내가 눈과 손이 되어드린
거다.) 다시 여기 일하는 사람이 된 것 같다. 사장님은
이제야 불어터진 라면을 드신다.

지금, 여기. 오늘, 여기.
나는 살아 있고, 존재함을 느낀다. 과거의 나와 오늘의
내가 여기 이곳에 있다.
함께 있다.

담담함을 그리다

하나의 꽃과 다 담기지 못한 나무

오일파스텔을 샀다.
무엇을 그릴까 고민하지 않았다.
바로 떠오르는 것을 그렸다.

카네이션으로 추정되는 꽃 한 송이(어버이날과 관계
없습니다...)와
화면에 채 차지 못한 나무 한 그루를 그렸다.

둘의 공통점이 있다면 담담함과 단단함이 느껴진다는
것이다.

꽃 한 송이도, 나무 한 그루도 가냘퍼 보이거나 이리저리 흔들릴 것 같아보이진 않는다.

요즘의 나의 담담함과 단단함에 대해 생각해 본다.
언제나 그렇듯, 나를 흔드는 것들이 있었다.
흔드는 것이라 함은,
나의 마음과 그에 따라 나오는 나의 모든 말과 글, 행위들이 제대로 읽히지 않을 때이다.
생각과 행위의 의미가 공중으로 흩어지게 만드는 세상의 수고로움이 나를 흔든다.
아프고 괴롭다.

나의 마음의 중심을 찾는다.
세상의 수고로움보다 내 흩어진 마음, 분주한 마음들을 돌아본다.
그리고 누구도 해하지 못할 나의 정수를 깊이 들여다본다.
그렇게 돌아보고 들여다 보면 내가 가장 좋아하는 것들이 보인다.

자연.
꽃과 나무.

붉은 나의 마음과,
화면에 채 담기지 못하는 것처럼 누군가에게 나의 온전한 의미가 다 읽히지 못하더라도 나무는 나무라는 것을 그리고 싶었던 것 같다.

프로필 대문에도 썼듯이
삶의 고통과 불행 속에서도 아름다움을 찾고 싶다.
그런 마음으로 살아가고, 그런 마음으로 그렸다.

그림 그리기를
다시 시작한 이유

어떤 일을 하더라도 그 시작이 상처였던 사람이 있을
까?

내가 그런 사람인 것 같다.

나는 피아노도, 그림도, 글 쓰기, 공부(특히 영어와 수학)도 상처로 출발했던 사람이었다.
반대로 말해 보자면 위의 네 가지는 내게 가장 중요한 것들이다.

나중에 더 자세히 이야기하고 싶지만 짧게 먼저 이야기해 보자면,
피아노는 잘 치는 친구에게 피아노를 가르쳐달라고 했는데 싫다고 하며 한 번 쳐줄 테니 외워서 치라고 했었다.

그림은 미술 학원 선생님이 하늘을 보라색으로 그린 나의 손등을 때리며 많은 친구들 앞에서 누가 하늘을 보라색으로 그리냐면서 부모님께 나를 특이한 아이라고 했다.(제가 본 하늘에는 분명 보라색이 있었고, 지금도 보라색이 있지 않나요?)

글 쓰기는 고3 때 작가 등단이 너무 하고 싶어서 야간 자율 학습 시간과 새벽 밤을 새워 가며 완성한 소설을 제출하러 갔었어야 하는 마감일이 있었는데, 담임 선생님께 30분만 잠시 다녀오겠다고 했다가 교무실에서 큰 소리를 들으면서 혼난 적이 있었다. 그 날은 처음으로 야자를 뺀(?) 날이었다.

수학 공부만 이야기해 보자면, 학습지에서 구구단 진도를 나가는 날이었다. 초등학교 2학년 때였는데 학교에서는 구구단 진도를 나가지 않았다. 그런데 학습지 선생님께서 "아직도 구구단을 모르면 어떡하니? 창피한

일인 줄 알아야지."(큰 상처여서 아직도 정확히 기억하는 모양이다.) 하셔서 울면서 구구단을 외웠다.

피아노는 교회나 다른 곳에서 적절히 칠 기회가 있었고, 글 쓰기도 전공과 그나마 밀접했고, 수학 공부는 어쩔 수 없이 했어야 해서 모두 다 하고는 있었지만 그림은 내가 마음 먹는 일이 아니라면 그릴 일이 없었다. 그림을 잘 그리는 친구들을 보면 항상 부러워하고, 전시회에 가도 그림은 나와 관계 없는 일이라고만 생각했었다.

그런데 나는 색깔 조합을 참 좋아하는 사람이다. 옷을 입을 때도 가구 배치를 할 때도 꽃 꽂이를 할 때도 색 조합을 아주 좋아한다. 우연히 원데이 클래스에서 백드롭 페인팅을 접해보고 꾸준히 그림을 그려오고 있다. 하늘은 보라색이어도 괜찮고 이미 수많은 화가들은 하늘에서 보라색을 보았다. 데이비드 호크니는 땅도 보라색으로 그린다.

상처에서 출발한 그림이었지만 나에게도 아름다움은 있었다. 지금도 그림을 그릴 때면 그 상처가 떠오르곤 하지만, 내 상처보다 내 아름다움이 더 크고, 내 상처보다 나의 예술이 더 크다는 것을 느낀다. 그래서 그림을 다시 그리고 있다.

내가 교사를 한다는 것

체육대회가 끝난 후, 우리는 텅 빈 운동장에 앉아 도란도란 대화를 나누었다.
사랑하는 2년 전 제자들이 지금 근무하는 학교에 다녀갔다.
한 시간 반이나 걸려 버스를 타고 나에게 찾아왔다.

그리고 우리는 만나자마자 서로에게 선물을 건넸다.
신기하게도 모두 책 선물이었다.
아, 하나는 마카롱이었는데 내가 어떤 마카롱 맛을 좋아하는지를 기억하고 사온 것이었다.
그리고 한 아이가 제게 준 선물은 라이너 마리아 릴케의 시집이었는데, 이 시집을 사기 위해 한 시간을 훌쩍 넘겨 어떤 서점을 갔는데 그곳에도 없어서 다른 서점에 가서 산 시집이라고 한다.
라이너 마리아 릴케는 내가 가장 좋아하는 시인 중 한 명이기도 하다. 아이들에게 그 시인을 내가 얼마나 좋아하는지에 대해 말한 적은 없다.
만나자마자 좋은 예감이 들었다.

몇 년 전까지 교사를 한다는 것은 나에게
'잘 가르치는 것'이었다.
전문성을 지니고 정확하게 가르치고 유능한 것이 내가
교사를 한다는 것의 의미였다.

그런데 그런 똑부러진 수업을 추구할수록 나는 공허해
져가기만 했다.
그리고 내가 하는 수업은 정확하게 가르치는 것만이 있
는 것은 아니라고 몸과 마음이 반응하기 시작했다.

나의 존재와 글이 맞닿아 있을 때 얼마나 강력한 힘을
발휘하는지,
그것이 아이들에게 큰 배움을 가져다 주는지 알게 되었
기 때문이다.
아이들은 그런 수업일수록 자신이 어떻게 살아야 하는
지를 배웠고 자신이 어떤 사람인지 혹은 어떤 사람이
되어야 할지를 배웠다.

교사가 무언가를 가르친다는 것은
지식을 가르치는 것도 있으나,
삶으로서, 특히 국어교사는 글과 붙어있음으로써
자신의 존재를 보여주는 것이다.

자신의 존재를 보여준다는 것은 치열하고 처절하고 고
통스럽다.
자신을 예쁜 포장지에 절대로 감쌀 수 없다.
작품에 이별을 겪은 화자가 등장한다면 나 또한 이별
을 했던 경험의 주머니 속에서 가장 적절한 것을 찾아
야 하고,
아이와의 상담 중 아이가 존재의 위기를 겪고 있다면
나 또한 그런 위기를 겪었던 경험의 주머니 속에서 가
장 아픈 곳을 들어가 찾아야 하기 때문이다.

나에게 시집을 선물한 아이는 편지에 이렇게 썼다.
'저는 선생님에게서 정말 중요한 것들을 배운 것 같습니다.
국어 선생님에게 문학을 배우기도 했지만,
박지선 선생님이란 어른을 보고 저는 내가 어떤 사람이 되고 싶은지에 대해 생각해 볼 수 있었고
이제는 어렴풋이 저 자신의 이상형을 그릴 수 있게 되었습니다.'

이것이 내가 국어 교사를 한다는 것의 의미이다.
아이들은 좋은 작품과 재미있는 수업, 협동학습을 통해 배우기도 하지만,
교사 존재 자체를 통해 배우기도 한다.
2년이 훌쩍 지난 지금에 와서도 이렇게 긴 편지를 쓴 까닭일 것이다.

아, 한 시간 거리나 되는 곳을 오는데 마카롱을 어디서 샀냐고 묻자
2년 전 제 수업을 듣던 아이가 꼭 지선쌤에게 사다드리라고 추천한 맛집이라고 한다.
나는 그 아이가 나를 싫어하는 줄로 알고 있었는데,
나를 보고 싶어한다고 내 수업이 아직도 기억에 남는다고 꼭 전해달라고 한다.

작은 아름다움들이 모여
시로 피어나면
아름답습니다.

"피아노 치러 가는 길이면 전철을 타요.
서울을 가기 때문에 늘 2호선을 지나치고,
그러면 누가 안전문에 새긴 시를 볼 수가 있어요.
아마도 2호선에만 있는 것 같아요.
보신 적 있으신가요?

이런 생각은 누가 했을까요?"

내가 사랑하는 한 아이가 긴 문자의 편지를 보내왔다.
몇 달간 사진을 찍다가 내 생각이 나서 보낸 사진과 편
지라고 한다.

아이는 가끔 전철에서 덜컹이다가 수십 가지의 향수 냄
새가 코를 찌르면 머리가 아프다고 한다.
그리고 다들 스마트폰만 보며 서로 스치기도 하고 부딪
히기도 하고.
이런 세상에도 시가 남아 있어서 참 다행이고 좋은 일
이라고 한다.

지하철에 시를 심을 생각을 누가 한 것일까?
아마 저 아이와 나처럼 아름다움을 찾으며 사시는 분
일 것 같다.
어쩌면 아름다움이 없다고 여겨지거나 그것이 없는 지
하와 전기의 세상 속에서
우리는 아름다움 혹은 어떤 또 다른 작은 세상을 발견
하며 사는 사람들이다.

저 시를 쓴 사람들과,
시를 저곳에 새겨넣은 사람들과,
저 시를 읽는 사람들은
작은 아름다움을 발견하며 사는 사람들이다.

작은 아름다움들이 모여 시로 피어나면 이렇게나 아름답다.

오래 전 녹음한 앨범을
꺼내보며

사람은 왜 표현을 하면서 사는 것일까? 특히 음악으로 무언가를 표현한다는 것은 어떤 의미일지를 생각한다. 음악에는 어떤 아름다움이 깃들어 있을지를 생각한다.

음악은 특출난 재능을 가진 사람들만이 하는 것이라고 생각한 적도 있다. 아름다움은 화려하고도 수려한 연주 속에서만 찾을 수 있다고 생각했기 때문이다. 그래서 니의 음악은 아름다운 것도 아니고 아름다울 수도 없다고 생각했었다. 난 음대 입시를 포기한 비전공자였다. 연주로서는 더 이상 아름다움을 만들 자격이 없다고 여겼다.

그런데도 2014년부터 2016년에는 재즈를 배우며 여러 가지 앨범 작업과 공연을 했었다. 그 중 이상 시인의 '거울'을 가사로 만든 노래에 건반 세션으로 녹음을 한 적이 있다. 이 노래가 첫 앨범 작업이었다. 이때도 마찬가지로 비전공자였기 때문에 내 음악은 아름답다고 생각하지 않았다. 아름다울 자격이 없다고 생각했던 것 같다. 그 누구에게도 알리기 힘들었다.

수업 시간에 한 아이가 어떤 글을 보고 이렇게 말했다. '이 글의 주제가 좋은데도 다 읽고 나서 감동적이거나 뭉클하지 않은 이유는 영웅적인 모습만 비춰지기 때문인 것 같아요. 구체적으로 어떤 어려움이 있었는지 알고 싶어요.'

음악 자체의 선율이나 화성, 기교에서 나오는 아름다움도 있지만, 저 아이의 말처럼 결핍 속에서도 이 음악을 해냄으로써 나오는 아름다움도 있다. 그 결핍이 어떤 간절함을 만들어 낸다. 내가 음대가 아닌 사범대에 진학하고 10여 년을 훌쩍 넘긴 지금도 음악을 하는 것이 그 간절함과 결핍이다. 첫 앨범 작업을 해본 것도 간절함과 결핍 속에서 나온 것 같다.

내 음악을 아름답다고 이야기해 본다. 마음 주머니 깊은 곳에서 먼지들과 뒹굴던 '아름답다'는 말을 이제는 입술 밖으로 수줍게 얹어본다.

Mirror (feat. Benini)

엑스트라 갈릭소스 >

전체 가사보기

00:00   00:00

나의 작은 숲

'리틀 포레스트'를 보고 나서

"그동안 엄마에게는
자연과 요리
그리고 나에 대한 사랑이
그만의 작은 숲이었다.
나도 나만의 작은 숲을 찾아야겠다."

영화 '리틀 포레스트'의 마지막 부분쯤에 나오는 대사
이다.
사람들은 저마다의 작은 숲을 지니고 살아가고 있을
까?

그 숲의 나무들은 깊게 뿌리 내리고 있다.
주인공 혜원의 어머니의 자연 나무,
요리 풀,
딸 혜원에 대한 사랑 꽃.
모두 깊게 뿌리를 내리고 있다.
그리고 혜원도 자신만의 작은 숲을 찾으려고 한다.

숲에는 나무들과 여러 가지 식물들이 자리하고 있다.
왠지 그 나무들과 식물들은 뿌리가 튼튼하고 깊을 것
같다.
하지만 깊게 뿌리를 내린다고 해서 모진 비바람을 다
견뎌내지는 않아도 되는 것 같다.
혜원의 '아주 심기'가 이를 말해주고 있다.

'건조와 비를 피해
멍석을 열흘 정도 덮어 두었다가
싹이 나면 걷는다.'

깊게 뿌리를 내린다고 할 때 모진 풍파부터 생각을 했었다.
왠지 모르게 그렇게 해야 성과가 있고 어떤 성취나 성장이 있을 거라고 생각하기도 한다.
그런데 아주 심기로 자라나는 사람도 있다.
때로는 건조와 비를 피해서 안전한 보호망에 잠시 몸과 마음을 숨겨도 되는 것 같다.
그러다 몸과 마음의 싹이 피어나면 걷어내는 것이다.

그리고 잘 자란 것들을 거름을 준 밭에 옮겨 심는,
'더 이상 옮겨 심지 않고 완전하게 심는' 아주 심기를 하게 된다.

나도 아주 심기를 한 후 제 자신을 일군 후에 나만의 작은 숲을 찾아보려고 한다.
책 읽기, 글 쓰기, 아이들에 대한 사랑, 그림 그리기, 오르간 연주하기.
나만의 작은 숲이다.

건조를 피해 마음을 촉촉하게 하고,
비를 피해 마음을 뽀송하게 하고,
몸과 마음의 싹이 자라나게 하고 싶다.
그래서 그 몸과 마음의 싹을 비옥한 토양으로 옮겨 완전하게 심고 싶다.
그리고 숲에 가면 나무 하나하나, 꽃 하나하나, 풀 하나하나를 살펴보는 것처럼

나만의 작은 숲에 있는 나무와 꽃, 풀 등을 하나하나 살
펴보고 그 자체로 사랑해 주고 싶다.
이것이 나의 리틀 포레스트이다.

너 생일 파티
되게 재미없어

글의 제목은 나의 열세 번째 생일 파티 날 들었던 말이다.
그리고 내일은 나의 생일이다.

친한 언니가 나에게 오늘 선물을 건넸다.

"짠, 미리 주는 선물이에요. 지난 번에 이 텀블러 갖고 싶어하는 것 같아서."
"너무 고마워요 언니. 갖고 싶었던 것 맞아요."
"생일 날에는 남편이랑 같이 파티도 하고 그래요? 생일이면 신나지 않아요?"
"생일을 어렸을 때부터 잘 못 즐겨요. 그래서 생일파티 안 한 지 오래됐어요."
"그럼 친구들이랑 생일 파티 안 한 지 얼마나 오래 된 거예요?"
"초등학교 6학년 이후로 한 번인가 두 번 해보고 안 해 봤어요."

나는 초등학교 6학년 때 크게 따돌림을 당했다.
이유는 아직도 모르겠다.
내가 무슨 잘못을 했는지 그 당시에도 지금도 알 수 없다.
힘이 아주 센 여자 아이가 나에 대한 근거 없는 소문을 만들어낸 것 말고는 아는 것이 없다.
이제는 그 이유가 중요하지도 않다.

2003년, 5월 어느 날.

친구들이 별로 없었기 때문에 초대할 친구들도 겨우겨우 부탁해서 두세 명 정도였다.
부모님께는 말하지 않고 거짓말을 했다.
친구들이 학원 가야 해서 다들 바쁘다고.
그 두세 명도 내 생일파티에 온다는 건 주동자 아이에게 약간의 도전장을 내미는 것이어서 내 생일파티에 몰래 왔다.

2003년, 5월 31일.
그러다가 갑자기 대략 열 명 정도나 되는 친구들이 내 생일 날, 생일파티에 오겠다고 했다.
친구가 없던 나는 눈물나게 고마웠다.
그래서 친구들을 집으로 다 데려왔고
음식을 잔뜩 해놓은 엄마는 신이 났었다.

그러다 갑자기 아이들끼리 수군수군 귓속말을 하더니 음식을 먹다 말고 나갔다.
몰래 도전장을 내밀었던 비밀 멤버 두세 명 중 한 명이 내게 이야기했습니다.
"ㅇㅇ아, 너 생일 파티 되게 재미없대. 그리고 음식 맛없다고 하래. 미안해 나 갈게."

엄마는 그것도 모르고 왜 나가냐고 물었다.

이것은 나의 크나큰 아픔이었지만,
이제는 나의 한 결이 되었습니다.
이것을 가지고 내가 무얼 할 수 있을까 고민해 본다.

아픔은 많은 것을 볼 수 있게 한다.
카페에서 크게 우는 아이의 울음소리를 들으며 얼마나
답답하고 아플까,
실수로 쳐서 떨어뜨린 꽃잎을 보며 얼마나 아플까,
오랫동안 보지 못한 고양이와 다시 만났을 때 고양이
가 얼마나 힘들어했을까,
외로움으로 밤을 지새우는 아이들을 보며 얼마나 아프
고 힘들까.

오늘도 내게 깊게 새겨진 여러 결들을 가지고 살아간
다.
이 결들이 나를 살아 있게 하고 저답게 만들어 준다.
내일은 또 나의 어떤 결이 살아날까?

보물 찾기

춘천에는 명곡사라는 음반 판매점이 있다.
초등학생 때 간 기억이 있으니까 20년 이상의 세월은
족히 흘렀을 것이다.

추억을 찾고 싶은 마음에 들렀다.
키가 작으신 사장님이 여전히 그 자리에 계셨고,
5평 남짓한 작은 가게에,
문 앞에는 여러 가지 음반 포스터가 붙어 있고,
문을 열고 들어갔을 때는
오래된 음반 냄새가 가득했다.
책 냄새와는 다른 음반 고유의 냄새가 있다.
모든 것이 그대로였다.

나는 몸의 병을 앓고 있어서 모든 일에 흥미가 없는 상
태였다.
그래서 그렇게 좋아하는 음반 가게에 들어갔는데도
사고 싶은 음반이 없었다.
음반을 찾고 싶은 생각도 들지 않았다.
그저 추억을 찾고 싶은 마음에 들어간 것뿐이었다.

사장님께서는 이런 내게 이것저것 추천을 해주셨다.
사장님의 그런 애씀은 하나라도 더 팔기 위해서 하는
행위로 읽혀지기보다
좋은 음악을 하나라도 더 듣게 해주고 싶은 마음으로
보였다.
추천해 주실 때마다 그 음반이 왜 좋은지에 대해 설명
해 주셨기 때문이다.

결국 내가 고른 아티스트는 '빌 에반스'였다.
너무 유명한 재즈피아니스트이기 때문에 사장님께서
는 좋은 앨범을 여러 장 추천해 주셨다.
나는 내가 좋아하는 곡이 가장 많이 담긴 앨범을 사려
고 했는데
마침 사장님이 가장 추천하고 싶다는 앨범과 딱 겹쳐
서 그 앨범을 골랐다.

사장님께서는 흡족해하시면서 이렇게 말씀하셨다.
"이렇게 보물찾기를 해야 돼요. 보물찾기를 해야 좋은
음악을 만날 수가 있어요."

생각해 보니 앓는 병으로 인해 흥미가 없어서 앨범을
못 찾는 게 아니라
나는 보물찾기를 할 생각을 안 했던 것 같다.

보물찾기를 하고 나온 나의 표정은 웃음으로 물들어 있
었고
그 보물을 소중하게 간직하며
잘 사용하고 있기 때문이다.
내가 가장 좋아하는 곡은 'My Foolish Heart'입니다.
정말 보물을 찾은 것 같다.

나의 삶의 결을 생각한다

박보나, '태도가 작품이 될 때'

1_

바이런 킴, <제유법Synecdoche>(1991-현재)

'더 중요하고 덜 중요한 구도적 구성이 없기 때문에 모두가 중요하고 하나하나가 중심이 된다.' p.25

2_

박이소, <당신의 밝은 미래Your Bright Future>(2002)

'박이소는 2001년 대안공간 풀에서 열렸던 전시에서 공사장에서나 쓰는 투박한 실외 조명기들을 각목에 얼기설기 덧대어 전시장 한쪽 구석을 눈부시게 비추는 작품을 선보였다. 이 작품의 제목을 확인하던 순간의 감동을 잊을 수 없다. 전시장 한켠에 작게 쓰여 있던 제목은 자그마치 '당신의 밝은 미래'였다. 연약한 시각적 구성으로 표현된, 허름하고, 낮고, 구석진 곳들에 대한 작가의 배려가 고맙고 울컥했다.' p.38

3_
이 책을 읽으며 마음을 가장 흔들었던 부분들을 옮겨 적어본다.
이 부분들을 읽을 때는 마음이 흔들리기도 했지만 눈물이 맺히기도 했다.
마음보다 눈물이 앞선 것 같은 느낌이 들었지만 그 마음이 무엇인지 찾아보기로 한다.

'모두가 중요하고 하나하나가 중심이 된다'는 말과 '연약한 시각적 구성으로 표현된' 것, 그 작품의 제목인 <당신의 밝은 미래>가 눈물겹습니다.
'존재로서의 아름다움'을 발견했다.

작가의 지인들의 피부색을 표현한 <제유법>에서 덜 중요하고 더 중요한 피부색은 없다. 모두 고유한 인격체이고 존중받아야 할 피부, 사람들이다.
당장이라도 쓰러질 것 같은 각목에 겨우 의지해서 서 있는 조명기들 하나하나도 존중받아야 할 인격체이다. 덜 중요하거나 더 중요한 것은 없다. 특히 그런 조명기들이 모여 '당신의 밝은 미래'를 비춰준다는 것은 또 다른 대상으로서의 인격체를 존중하기도 한다.
각자의 피부색을 가진 사람들, 각목에 의지해 서 있는 조명기들과 조명기가 비춰주는 대상 모두 존재들이다. 이들 하나하나가 내게 존재로서 다가와 아름다움을 느낀다. 이것은 그렇게 살고 싶은 나의 삶의 결이자 세상을 대하는 나의 태도이기도 하다.

서로의 존재를 인정하고 존중하기 위해서 어떻게 해야 할지 생각해 본다.

'우리는 같이 살기 위해서 더 시끄럽게 서로의 차이를 이야기할 수 있어야 한다. 사랑하기 위해서 더 요란하게 서로를 경험할 수 있어야 한다.' p.27

자기 언어를 갖는다는 것

호안 미로: 여인, 새, 별 전시회에 다녀와서

인터넷에서 어떤 동영상을 보았다.
자동차 운전면허 시험장에서 기능시험을 보던 한 차량이 브레이크 페달과 악셀 페달이 헷갈렸는지 과속으로 장내를 여러 번 돌았고 결국에는 교통 표지판을 들이받았다.
동영상에서는 이를 '광란의 질주'라고 표현하였고 댓글들은 이를 조롱하거나 비웃는 듯했다.
그 운전자가 놀라지는 않았을지, 무섭지는 않았을지 운전자의 마음을 생각하는 사람은 아무도 없었다.
인터넷에는 누군가의 실수나 난처한 상황을 희화화하여 올리는 동영상이 적지 않게 있다.
얼마 전에는 지인이 재미있다고 보여준 동영상이 있다.
한 개그맨이 의자에 앉았는데 그 의자가 부서져서 개그맨이 꽈당 하는 영상이었다. 의자가 개그맨의 무게를 버티지 못한다는 것이 웃음의 초점이었다.

누군가가 난감한 상황에 대해 놀림 받는 것이 언제나 마음이 아프다.
혹자는 나에게 쓸데없이 예민하다고 하기도 한다.
하지만 이런 나의 모습에 조응하는 한 문장을 만났다.

“

매 순간 마주하는 존재에 감응하려 애쓰는 '삶의 옹호자'

“

<글쓰기의 최전선>, 은유, p.42

그리고 한 그림도 만났습니다.

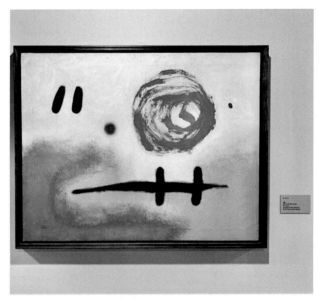

호안 미로, <2+5=7>(1965)

호안 미로는 "2 더하기 2는 4가 되지 않아. 회계사들만이 그렇게 생각하지. 그리고 그것만으로는 충분하지 않아. 그림은 상상력을 풍요롭게 해야 해."(1959년 이본 타이앙디에와의 인터뷰에서 발췌)라고 말했다고 합니다.

2 더하기 2가 4가 되지 않고 충분하지 않은 것처럼 2 더하기 5는 7이 되지 않고 충분하지 않을 것이다. 나는 (추상화는 관객의 해석에 맡기므로) 그림의 왼쪽 하단부가 숫자 2의 잘려나간 밑 부분인 것 같고, 파란 동그라미 우측 부분에서 5의 중앙이 겨우 보이는 것 같다. 둘 다 온전히 보이지 않는 이유는 2+5=7로 '충분하지 않기' 때문이다. 호안 미로가 꿈꾸었던, 관객이 꿈꾸길

바랐던 상상력이 나에게는 그 너머의 것 혹은 이면을 보는 것이다.

누군가의 실수나 난처함을 보고 대상화 하며 웃는 것이 4나 7이라면, 그 누군가의 마음이 어떨까 하며 마주하는 존재에 감응하려 애쓰는 것은 2+2=4(2+5=7)로 충분하지 않다고 말하며 그 너머의 것을 보는 것이다.

은유 작가는 '나'의 범위에 대해 이야기한다.

"
'나'의 범위 역시 피와 살이 도는 육체에 한정되지 않는다. 정신의 총체이기도 하며 관계의 총합이기도 하다. 나는 나 아닌 것들로 구성된다.
"
<글쓰기의 최전선>, 은유, p.53

나는 오늘 한 문장과 한 그림으로 내 삶의 언어를 찾았다.

네일샵에서 만난 이야기꾼

삶을 깊이 있고 윤택하게 만들어주는 요소들은 우리가 마음을 쏟기만 한다면 우리의 주변 어디에나 숨어 있다. 매우 하찮은 것이라고 하더라도 내 삶을 구성하는 것 하나하나에 깊이를 뚫어 마음을 쌓지 않는다면 저 바깥에 대한 지식도 쌓일 자리가 없다. 정신이 부지런한 자에게는 어디에나 희망이 있다고 새삼스럽게 말해야겠다.

-황현산, <밤이 선생이다>

'매우 하찮은 것이라고 하더라도 내 삶을 구성하는 것 하나하나에 깊이를 뚫어 마음을 쌓'는 것은 작가 은유가 이야기한 '마주하는 존재에 감응하려 애쓰는 삶의 옹호자'와 상통하는 것 같다. 삶을 구성하는 모든 것에 깊이를 더하고 그 깊이만큼 마음을 쌓는 일은 고단한 일이다. 말 그대로 모든 것에 눈길을 주고 살펴야 하기 때문에 작은 마음 하나도 그냥 지나칠 수 없다. 그러나 풀잎 하나가 바람에 흔들려도 저 풀잎은 아프지 않을까 하며 풀잎의 마음을 들여다 보는 나는 이 문장을 보고 마음이 뭉클해지고 설렌다.

분홍색 네일 아트가 손톱에 칠해진 지 한 달이 훨씬 넘었다. 새 손톱이 자라나고 있어 기존의 네일 아트를 지

우러 처음 가보는 네일샵으로 향했다. 들어가자마자 원장님은 나를 반갑게 맞아주시면서 끊임없는 입담이 시작되었다. 처음 마주하는 사람과 대화하는 것을 쑥쓰러워하는 나는 여간 곤란한 일이 아니었다. 게다가 나는 대화에서의 반응도 "아~", "맞아요."에 한정되어 있어서 일방적인 대화가 되는 데 큰 몫을 했다.

한결같은 나의 반응에도 원장님은 끊임없이 대화를 시도하시고 이런저런 이야기를 계속 들려주셨다. 이쯤 되니 불편한 느낌이 들기보다(워낙 이야기를 잘 하셔서 처음부터 불편한 느낌이 들진 않았다.) 전문적인(?) 이야기꾼 같다는 생각이 들었다. 사실 이야기를 들려주시지 않더라도 나는 어색할 수도 있는 대화의 여백을 좋아하는 사람인데, 그분의 입장에서는 나를 배려해서 그칠 줄 모르는 이야기를 들려주신 것일 것이다.

시원찮은 반응을 보이는 청자를 위해 그치지 않고 이야기를 하시는 원장님의 모습이 마치 내가 수업을 할 때의 모습 혹은 그동안 내가 살아온 모습 같았다. 그럼에도 아름다움을 찾아보자고 말하기 위해 삶의 불행과 고통 속에서도 부단히 아름다움을 찾아온 모습, 작은 마음 하나도 지나치지 않고 아프더라도 면밀히 들여다보며 이 마음이 어떤 것일까 하고 탐구하기를 포기하지 않았던 모습. 멈추지 않는 그분의 몸부림이 나의 몸부림과 맞닿아 있어서 그분의 이야기에 그렇게도 눈물이 글썽거렸나보다.

이야기가 끝나니 분홍색 손톱은 벗겨지고 원래의 손톱으로 깔끔하게 정리가 되어 있었다.

하찮은 것(원장님의 이야기장)은 아니었지만 마주하는 순간에 깊이가 더할 자리를 마련해 주니 저의 존재를 발견하게 되었고, 내 삶을 더 옹호하게 되었다.

아, 그분이 들려주셨던 이야기는 임신과 출산에 대한 이야기였다. 다음 이야기가 궁금하면 또 오라고 하신다.

변주의 삶

음악과 국어 수업의 연결 고리를 찾아서

고등학교 2학년이 되기 전까지 음대 입시를 준비했다. 여러 가지 이유로 음대 입시를 준비할 수 없게 되었고, 좋아하는 또 다른 것을 찾다보니 국어교사가 되고 싶었다.

국어교육과로 진학한 후에도 음악을 버릴 수는 없었다. 감사하게도 음악과 관련된 여러 곳에서 연주와 반주를 계속 할 수 있었다.

음악 중에서도 피아노 연주, 그 중에서도 반주하는 것을 좋아했는데, 닮고 싶은 연주가의 연주나 반주가 있다면 밤을 새서라도 그 음악을 악보로 그리고 따라서 쳤다. 그리고 그 연주가 손에 완전히 익으면 나에게 맞게 약간을 변형하여 나의 스타일대로 반주를 했다. 이렇게 반주하면 내가 반주하고 있는 연주가를 더 편안하게 해줄 수 있고, 메시지가 더 잘 드러나는 풍성한 음악을 만들 수 있다.

국어 수업을 할 때면 글 한 편을 가르치더라도 그 주제와 관련된 글을 여러 편 읽는다. 이것은 글과 나의 존재가 붙어 있기 위함이다. 이렇게 읽으면 그 글과 연결된 나의 경험들이 떠오르고, 아이들에게 가르치고자 했던 것이 무엇인지 더욱 선명해진다. 나는 여러 가지 경험의 주머니 속에서 아프더라도 슬프더라도 경험의 구슬을 꺼내 아이들에게 그 구슬을 전해 줄 수 있다. 그렇게 아이들과 함께 구슬을 꿰어 나간다.

그렇게 살아가던 날들 중 문득 이런 생각이 들었다.

'나에게 있어 음악과 국어 수업은 어떤 연결 고리가 있을까?'
음악은 음악대로, 국어 수업은 국어 수업대로 따로 생각할 수도 있겠지만, 나에게 가장 중요하면서도 가장 좋아하는 두 가지 모두 나의 결들이기 때문에 연결 고리가 있을 것이라고 생각했다.
이 질문에 사람들은
'음악 교사 하면 되겠네.' 혹은 '국어 시간에 피아노 치면 되겠네.'라는 답변을 하곤 했다.

지금 와서 생각해 보니 음악과 국어 수업의 연결 고리는 '변주'이다.

반주를 따라서 칠 때는 그대로 베낀다는 생각보다는 원래 음악의 고유한 스타일이 드러나도록 하면서 상황과 연주가에게 맞게 쳤다. 주제와 관련된 여러 글들을 읽을 때는 그대로 베껴서 수업을 한다기보다는 그 글에서 비치는 태도를 거름 삼아 내 경험을 꺼내 아이들에게 알려주었다.

주제 멜로디와 태도는 살아 있게 하되 리듬, 화음, 경험, 생각들을 다양하게 바꾸어 연주하고 읽어내는 삶이 그 둘의 연결 고리였다.

변주. 어떤 주제를 바탕으로, 선율 · 리듬 · 화성 따위를 여러 가지로 변형하여 연주함.

비단 음악과 국어 수업만이 아니라 삶에서 모든 것을 마주할 때 무언가를 그대로 베끼기보다는 태도가 살아 있는 변주하는 삶을 살고 싶다.

아이들과 배운다는 것

화살표가 가리키는 곳을 더는 믿지 않기로 했다미로는 헤맬 줄 아는 마음에게만 열리는 시간이다-안희연, '추리극'(<여름 언덕에서 배운 것>) 부분

화살표가 가리키는 곳만을 향하여 가라고 가르침을 받은 적이 있다.
고등학생 때는 최대한 성적을 올려서 대학에 입학하는 것이었고, 대학생 때는 하루 빨리 취직을 하는 것이었다. 대학교를 졸업하고 나니 저축을 해서 보금자리를 마련하고 빨리 결혼을 하라고 한다.

하지만 화살표가 가리키는 곳만 보고 싶지는 않았다. 왠지 모르게 마음은 출구를 알 수 없는 미로로 향해 있었다. 화살표가 가리키는 곳은 정확하다. 가야 할 곳이 정해져 있고 그곳으로만 간다면 큰 사고 없이 바른 목적지에 도착할 수 있다. 미로는 당장 가야 할 곳조차 보이지 않는다. 사방이 큰 벽으로 둘러싸여 있고 그나마 길인 것 같아 보이는 곳으로 가더라도 그것이 진짜 길인지도 알 수가 없다. 그러나 미로를 헤매본 사람들은 알 수 있다. 어떤 곳으로 가야 길이 되는지를.

그렇게 미로 속을 헤매는 두 명의 아이를 만났다.
한 아이에게서는 긴 편지를 받았다.

7월 23일에는 스터디 카페에서 국어 모의고사를 풀다가 울어버렸어요. 시가 저에게 말을 하는 것 같았거든요. 문제를 빨리 풀어야 하는데 문제에 나와 있는 시를 읽고 또 읽고 눈물을 흘리느라 정작 문제는 풀지 못해요. 2학년 초반의 저는 시

만 봐도 무서워서 읽는 것도 어려워하는 사람이었는데요...
이제는 시가 주는 힘을 알 것 같아요.

이 아이는 정해진 시간 안에 문제를 풀고 답을 맞혀야
한다. 그것이 모의고사 공부가 가리키는 화살표 방향이
다. 그런데 시가 자신에게 말을 걸어오자 이 아이는 미
로 속으로 들어간다. 어떤 시인지는 모르겠으나 이 아
이의 본질과 존엄을 건드는 작품이었을 것 같다. 시를
읽고 또 읽고 눈물을 흘리는 것은 미로 속을 헤매는 것
과 같다. 그렇게 미로 속을 헤매면서 이 아이는 화살표
없이도 길을 찾아가는 방법을 터득하게 된다. 시가 주
는 힘을 알게 되었다고 했으니까.

긴 글을 보내 온 한 아이가 더 있다.

지난 학기 문법 수업에서는 우리의 언어에 담겨 있는 여러 이
야기들을 살펴봤고 나는 그 이야기들 속에서 문법에 대한 흥
미를 느꼈다. 일상 속에서의 예시들을 찾아 분석하거나 틀린
표현이지만 그렇게 표현해야 했던 사람들의 마음을 이해해
보기도 했다. 이런 활동들을 통해 우리가 가져야 할 문법에
대한 태도를 배웠다고 생각한다. 단순히 규칙들을 외우고 옳
고 그른 것을 판단하는 게 아니라 그런 현상들을 이해하고
더 깊이 분석해 보는 것. 문법 공부란 어떻게 하는 것인지를
배웠다. (중략) 이러한 경험으로 나는 학교 수업으로 먼저 배
우는 것을 더 좋아하게 되었다.

학교에서의 문법 수업을 들은 후 방학 동안 인터넷 강
의를 들으며 문법 공부를 하다가 이 글을 썼다고 한다.

이 아이는 인터넷 강의에서 가르쳐 준 대로 문제를 푸는 데 필요 없는 지식은 건너뛰고, 어떤 문제를 맞히고 틀렸는지 알아야 한다. 그것이 문법 공부가 가리키는 화살표 방향이다. 그런데 이 아이도 미로 속으로 들어간다. 일상 속에서 맞춤법에 맞게 쓰이지 않은 노랫말 가사와 길거리의 간판을 보고 왜 그렇게밖에 표현할 수 없었을까를 생각한다. 아직 문법 규칙이 적용되지 않은 일상의 언어를 분석해 보며 규칙을 탐구해 나간다. 굳이 걸어가지 않아도 되는 미로 속을 향하여 들어간다.

이 두 아이들은 화살표가 가리키는 곳을 더 이상 믿지 않는 아이들이다. 그리고 이 두 아이들과 함께 찾아 헤맸던 미로를 떠올린다. 처음에는 가시덤불도 만나고 어둠 속에 갇히기도 하고 거대한 장벽 앞에서 무너지기도 했다. 하지만 우리는 함께 그 미로를 담담히 걸었다. 화살표 없이도, 조금 돌아가더라도 자신만의 길을 찾아 걸어가는 것이 우리가 그 해 여름 언덕에서 배운 것이다.

붉은 마음

꽃집을 헤맨 이야기

종종 꽃집에 들러서 화병에 꽂을 꽃들을 살 때가 있다.

오후가 되어서 무엇을 할까 고민하던 중 꽃집에 가야겠다는 생각이 들었다.

꽃을 고를 때 사장님의 추천을 받기보다
가기 전 미리 색감을 생각하고 가서 꽃들을 직접 하나하나 고른다.
오늘은 코랄톤, 오늘은 화이트톤, 오늘은 보라색계열 등등.
생각하고 간 색감의 꽃들이 있을 때는 너무나 반갑다.
그런데 생각하고 간 색감의 꽃이 없을 때는 재빨리 꽃집의 꽃 냉장고를 훑어보며 서로 어울릴 만한 꽃들이 있는지 살핀다.

그날은 미리 색감을 생각하기보단 꽃집의 꽃을 보고 정해야겠다는 생각을 했다.
예전부터 가보고 싶었던 꽃집으로 기대의 발걸음을 향했다.
문이 닫혀 있었다. 예약제로 운영되는 꽃집이었다.
두 번째 꽃집으로 발걸음을 향했다. 이곳도 역시나 문은 닫혀 있었고 예약제 운영이었다.
이쯤 되니 지칠 대로 지치기도 했고 눈물이 날 것 같았다.
꽃에 대한 마음이 너무 간절했었나 보다.
하지만 걷고 또 걸어서 드디어 마지막 꽃집으로 갔다.
두 시간은 걸었던 것 같다.
썩 마음에 드는 꽃은 없었지만 꽃집 특유의 향기를 맡고 꽃들을 보니 그동안 한 고생이 괜찮다고 말해주는 것 같았다.

고르는 꽃들마다 가격이 상당했지만 붉은 계열의 꽃을
놓칠 수는 없었다.
붉은 눈물을 흘리는 카라, 다알리아, 장미, 거베라 여러
송이를 샀다.
붉은 눈물이 마치 내가 흘릴 것만 같았던 눈물처럼 보
였나 보다.

집으로 돌아와서 정성스럽게 화병에 꽂는다.
두 시간 반이나 걸려서 사온 꽃들을.

간절한 마음은 마음을 붉게 만든다.
그 어떤 것도 대신할 수 없고 대체할 수도 없다.
꼭 그것이어야만 한다.
꽃을 사기 전부터 고를 때, 집으로 들고 가기까지 모든
손길이 다 닿아 있기 때문이다.
우리의 삶에서 붉은 마음을 지니게 하는 것이 무엇인지
를 붉은 꽃을 보며 생각한다.
붉은 꽃의 마음을 생각한다.

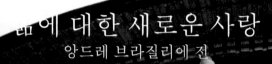

品에 대한 새로운 사랑
앙드레 브라질리에 전

그런 날이 있다.
마음이 이끌리는 대로 하고 싶은 날.
그 날이 바로 어제였다.

몇 주 전에 한 전시회에 갔었는데 도슨트 시간을 놓쳐서 혼자 감상하고 돌아온 날이 있다. 모든 전시가 도슨트가 절대적인 것은 아니지만 이 전시는 왠지 도슨트가 필요할 것 같다는 생각이 들어서 아쉬워하고 있었다. 그런데 어제 마음의 이끌림이 찾아왔다. 그래서 무작정 버스 터미널로 갔고 그곳에서 오래 앉아 있다가 미술관으로 향했다.

"앙드레 브라질리에; 멈추어라, 순간이여."

도슨트가 누구인지 확인을 못 하고 갔는데 마침 내가
좋아하는 분이 하시는 날이었다. 미술관 입구에서부터
사람들이 아주 많이 붐볐다. 그리고 그 분 얼굴을 보는
데 눈물이 조금 맺혔다. 그 분을 좋아해서 그런 게 아니
라 '오늘 나에게 작은 행복들이 계속 와주는구나' 했기
때문이다.

브라질리에는 순수했던 사람 같다. 전쟁도 겪고 아들을 잃었는데도 평생 그림에 행복을 담아냈다고 한다. 그리고 자신의 그림을 보는 사람들이 그림을 통해서 삶의 아름다움을 발견하고 간직하길 원했다고 한다.

삶과 아름다움을 사랑하도록 돕는 것, 그것이 '예술' 아닌가요?

전시 해설을 듣는 내내 남 몰래 눈물을 흘렸다. '맞아, 나는 아름다움을 만들기도 하고 발견하기도 하는 예술가였지.'하는 생각이 들었다. 이 이야기를 주제로 했던 수업인 작년의 '문장론' 수업이 떠오르기도 했다.

그림들에는 행복이 가득 묻어 있었다. 작가는 자연물이나 어떤 대상을 색칠할 때 자신의 감정에 따른 색을 칠했다고 한다. 그래서 색깔들이 주는 위로가 있는 것 같았다.

어제는 어떤 한 그림에 머물러 있기보다는 이 작가의
마음에 머물러 있었다. 다가오는 모든 것이 나의 것인
것, 봄날에 미술관을 가는 내가 아름다움이고 행복인
것 같았다.

언젠가 누군가가 나에게 해준 말이 있다. 내가 그림이
라는 말이 떠올랐다. 브라질리에의 그림에는 꽃을 만지
거나 들고 있는 그의 부인 그림도 있었다. 그 그림들은
예전에 갔을 때도 기억에 많이 남는 그림이었는데 또
다시 꽃을 보자마자 눈물이 내렸다. 꽃을 어떻게 그렸

는지 덩그러니 서서 보았다. 내가 제일 좋아하는 꽃, 장미 그림을 보았다. 아주 예쁘고 아름다웠다. 그 그림에서 아름다움을 찾았다. 꽃을 보는 나, 꽃을 가꾸는 나, 내 마음을 가꾸는 나.

맨 마지막에는 이렇게 써 있었다.
자연과 삶에 대한 새로운 사랑을 가지고 떠나시기를. 제 작품이 여러분께 날개가 되어 주기를.

결국 이미 다 나에게 있었구나 했다. 나는 이미 나 자신을 사랑하고 있었고, 그런 마음이 이미 나에게 있었던 것이다. 내가 전시회를 보는 내내 눈물을 흘렸던 이유도 아마 오랫동안 숨어 있던 나의 마음들이 나 자신에게 사랑 받고 있어서, 위로 받고 있어서 그런 거라고 생각했다. 그리고 나는 삶에 대한 새로운 사랑을 품고, 날개를 달고 날아갈 것이다.

그림을 그리는 일과 꽃을 만지는 일은 마음을 가꾸는 일이다.

오늘의 아름다움에 관하여

아이들을 만나다

사랑하는 아이들이 춘천으로 왔다.

한 아이가 내게 '세바시(세상을 바꾸는 시간 15분)'의 김훈 작가 편을 추천해 주었다.

작년에 했던 수업 중 하나가 각자 삶의 아름다움을 찾아가고 발견해나가는 것이었다.

그래서 그 아이는 내게 "선생님이 작년에 아름다움에 대해 많이 말씀하셨잖아요."라고 말한 후 그 영상을 보내주었다.

김훈 작가님은 인간 존재 그 자체의 아름다움에 대해 이야기했다. 초등학교 입학식, 수능시험장, 광화문 연인의 키스, 까치집의 풍경이 얼마나 아름다운지에 대해 이야기했다. 작년에 우리가 했던 수업이었다. 각자의 삶 속에 아름다움이 얼마나 많은지, 그리고 아름답게 만들어나갈 수 있는지에 대해서다.

오늘 내가 만난 아름다움에 대해 이야기하고 싶다. 존재 그 자체의 아름다움을 찾았다.

우리는 늘 만나던 카페에서 만났다.

그런데 아이들이 들어오지 않고 어디론가 도망을 가는 것이었다. 그러다가 한 아이가 뛰어들어와서 메뉴를 잽싸게 고르더니 계산을 했다. 알고보니 내가 계산을 할까봐 그렇게 뛰어들어온 것이었다.

우리는 테이블에 앉았고 나는 아이들에게 줄 준비한 선물을 꺼냈다.

그런데 아이들이,

"저희도 그럴 줄 알고 선생님 선물을 준비했어요."라며 두둑한 종이가방을 꺼냈다.

그 안에는 도자기컵과 접시, 직접 뜨개질을 한 머리끈,
산문집이 들어 있었다. 아이들의 아름다움이 담겨 있
는 것 같았다. 그렇게 우리는 각자 준비한 선물을 서로
나누어가졌다.
각자의 삶도 나누고 다양한 주제를 가지고 자신의 생각
을 나누었다. 서로 의견이 달라도 차근차근 차분히 이
야기하는 모습도 있었다.

그리고 우리는 근처 동네 책방에 들러서 책의 시간을
보냈다.
시간 가는 줄 모르도록 아이들은 책의 세계에 빠져있었
고, 마음에 드는 책 제목을 가슴에 품고 적어놓기도 했
다.
한 아이는 우연히 집은 책을 책방 사장님으로부터 선
물 받기도 했다. 보물이 숨겨져 있었던 거라고 한다.

아이들에게 밥을 사주고 싶었다.
자주 가는 막국수집에 갔고 우리는 배가 고팠는지 소리
도 없이 막국수와 빈대떡을 후루룩 먹었다.

기차 시간이 가까워져오는데 아이들과 헤어지는 것이
오늘따라 더 아쉽게 느껴졌다. 그래서 아이들에게 물었
다. 우리집으로 가서 놀지 않겠냐고. 아이들은 예매한
기차표를 취소했고 케이크를 사서 다 함께 우리집으로
향했다.

집에서 차를 마시고 케이크를 먹으며 도란도란 이야기
를 나누었다. 중간중간 들어오는 낮과 저녁 사이의 봄

바람이 우리에게 스며들어 우리를 더 따뜻하게 만들어
주었다.

정말 가야 할 시간이 되자 눈물이 날 것 같았다. 쏟아질
것 같은 눈물을 가슴에 머금고 아이들을 배웅해 주었
다. 나는 아이들이 떠나간 그 자리에서 봄바람의 향기
를 맡았고 그 향기를 간직했다.

내 생애 아름다운 순간들이 오늘 여기에 담겨 있다.
간직할 수 있는 아름다움이 내게 생긴 것 같다.
아이들이 이야기하는 모습, 웃는 모습, 그리고 고뇌하
는 모습까지도 볼 때면 존재 한명, 한명이 다 소중하다.
웃음, 고민, 고뇌의 마음에는 반드시 그 흔적이 남는다.
아픈 스무 살을 보내는 아이들도 있었지만 내겐 그 모
습도 아름답게 느껴졌다. 아픔만이 그 아이들을 설명하
는 전부의 모습이 아니기 때문이다.
-아프든 아프지 않든 너희들은 아름다운 존재야.-

아름다움은 이 삶을 살아가게 하는 힘이다.
한 사람 한 사람 모두 고귀한 존재다.
우리 삶이 어떤 모양이든지.

삶의 행간

친구와 대화를 하며 마음에 든 생각

나는 몸담고 있던 일을 그만두고 새로운 일거리를 준비 중이다.

하던 일을 그만두고 사업을 준비한다고 주변에게 알렸을 때, '그 힘든 일을 어떻게 하려고 하냐'라는 걱정이 응원보다도 많았다. 하지만 이전에 했던 일만큼 내가 좋아하는 일이기 때문에 그런 이야기를 들어도 아주 많이 속상하거나 후회되거나 하지는 않았다.

그러던 중 오늘 한 친구에게 연락이 왔다. 자주 만나지는 않지만 가끔 연락을 주고받는 친구다. 사실대로 말하자면 항상 먼저 연락을 해주는 고마운 친구다. 친구가 내게 근황을 물었다. 그래서 교사를 그만두고 꽃집을 준비하고 있다고 이야기했다. 이 말을 하고 친구가 어떤 잔소리를 내게 해올까 심장이 조마조마했다. 그런데 친구의 반응은 예상 밖이었다.

"응원한다!! 큰 용기 가지고 했을 것 같은데."

"맞아. 큰 용기야. 아는구나 이 마음."

"그럼. 자기가 선택해서 (한 일이고), 또 다 주변인들의 사소한 말들도 이겨내야 하는데."

'용기'는 씩씩하고 굳센 기운이다. 나는 꽃을 선택했고,

사업이 힘들다, 꽃집 일은 고되다, 편한 교사 생활을 두고 왜 힘든 길을 가냐 등의 말들을 놓아두고 어떻게 저런 말을 할 수 있었던 걸까. 그건 그 친구가 가진 삶의 근육이 있기 때문일 것이다. 사람을 허투루 판단하지 않고 이해하려고 하는 노력이 그 친구에게 있는 것이다.

박연준 작가의 <고요한 포옹> 중 '도착'에는 이런 부분
이 있다.
'가스통 바슐라르의 "촛불"이란 책을 보면, 카몽이스란
시인이 밤에 촛불이 꺼지자 "자기 고양이 눈빛에 기대
어" 시를 썼다는 이야기가 나온다.'

친구의 그 말을 듣고 눈물이 달빛처럼 고였다.

나는 오늘 밤, 친구의 말에 기대어 이 글을 쓴다.